Directeur de collection : Lise Boëll
Direction artistique : Ipokamp
Éditorial : Céline Schmitt

Publication originale :
© Éditions Albin Michel, S.A., 2013
22, rue Huyghens, 75014 Paris
www.albin-michel.fr
ISBN 978-2-226-25008-7

Loi n°49-956 du 16 juillet 1949 sur les publications destinées à la jeunesse.

Achevé d'imprimer en France par Pollina.L65875.
Dépôt légal : octobre 2013.

Barbie ™

Un merveilleux Noël

Albin Michel

Barbie et ses sœurs

Barbie

Barbie est la grande sœur idéale, toujours là pour consoler, encourager ou trouver une solution aux problèmes de Skipper, Stacie et Chelsea.

Stacie

Pleine d'énergie, Stacie s'essaie régulièrement à de nouveaux sports. Rien ne lui fait peur !

Skipper

Skipper se passionne pour la musique. Son rêve : fonder un jour son propre groupe de rock !

Chelsea

Curieuse et imaginative, Chelsea adore les animaux. Elle les trouve si mignons qu'elle les adopterait tous !

C'est le **réveillon de Noël**. Barbie et ses trois petites sœurs, Skipper, Stacie et Chelsea sont impatientes de rejoindre leur tante Millie à New York, une ville magique pour fêter Noël ! Chacune rêve de ces vacances depuis longtemps : Stacie voudrait faire du patinage à Central Park, Barbie rencontrer son idole. Chelsea, elle, aimerait tant voir les otaries au zoo et Skipper n'a qu'une idée en tête : assister au concert de son groupe préféré.

Les valises bouclées, les filles se rendent à l'aéroport. Après quelques heures de vol, **catastrophe** ! Suite à d'importantes chutes de neige, l'avion doit atterrir de toute urgence dans le Minnesota… à près de 2 000 kilomètres de New York !

Une fois au sol, tous les voyageurs sont conduits dans un hôtel. Les quatre sœurs sont accueillies par **Christie** qui leur fait visiter les lieux.

– **Whaou** ! C'est magnifique ! s'exclament les filles, émerveillées devant un sapin de Noël dont l'étoile touche presque le plafond.

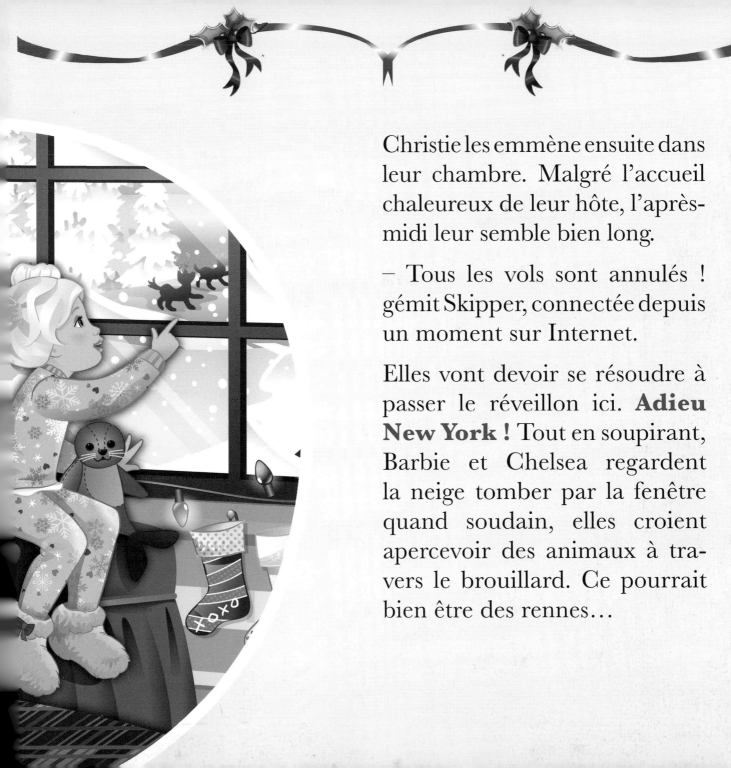

Christie les emmène ensuite dans leur chambre. Malgré l'accueil chaleureux de leur hôte, l'après-midi leur semble bien long.

– Tous les vols sont annulés ! gémit Skipper, connectée depuis un moment sur Internet.

Elles vont devoir se résoudre à passer le réveillon ici. **Adieu New York !** Tout en soupirant, Barbie et Chelsea regardent la neige tomber par la fenêtre quand soudain, elles croient apercevoir des animaux à travers le brouillard. Ce pourrait bien être des rennes…

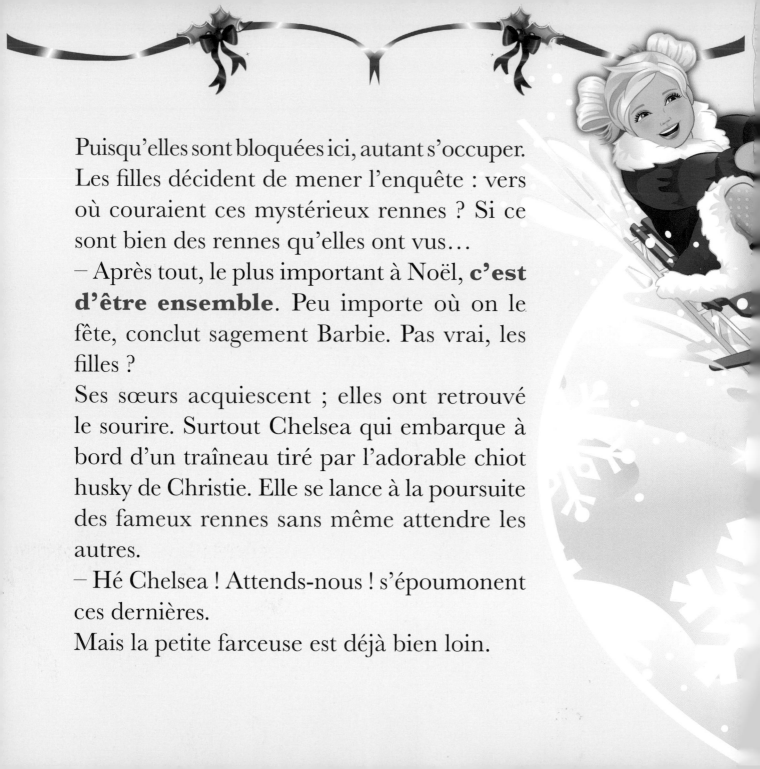

Puisqu'elles sont bloquées ici, autant s'occuper. Les filles décident de mener l'enquête : vers où couraient ces mystérieux rennes ? Si ce sont bien des rennes qu'elles ont vus…

– Après tout, le plus important à Noël, **c'est d'être ensemble**. Peu importe où on le fête, conclut sagement Barbie. Pas vrai, les filles ?

Ses sœurs acquiescent ; elles ont retrouvé le sourire. Surtout Chelsea qui embarque à bord d'un traîneau tiré par l'adorable chiot husky de Christie. Elle se lance à la poursuite des fameux rennes sans même attendre les autres.

– Hé Chelsea ! Attends-nous ! s'époumonent ces dernières.

Mais la petite farceuse est déjà bien loin.

Barbie, Skipper et Stacie courent à perdre haleine pour la rattraper. En vain ! Elles ont perdu sa trace.

– Chelsea ! Chelsea ! Où es-tu ? crient-elles de toutes leurs forces.

Elles commencent sérieusement à s'inquiéter. Juste à ce moment-là, elles entendent des bruits de pas et de petits jappements. **C'est Chelsea et le chiot !**

– Chelsea, tu nous as fait une de ces peurs ! Où étais-tu passée ?

En guise de réponse, Chelsea se jette dans les bras de ses grandes sœurs en riant avant de lancer :

– Venez voir où le chien m'a emmenée !

Les autres lèvent la tête… Les voilà devant une immense grange dont la porte se met comme par magie à scintiller. Les **mystérieux rennes** sont là, et leurs regards semblent inviter les quatre sœurs à entrer.

Les filles n'en croient pas leurs yeux. À peine ont-elles franchi la porte qu'elles découvrent des **paquets cadeaux** entassés par milliers du sol au plafond.

– On dirait l'atelier du Père Noël ! soufflent, ébahies, Stacie et Chelsea.

Skipper cherche à lire les étiquettes sur les cadeaux, on ne sait jamais, si son nom apparaissait ! Et non, rien… Elle est très déçue d'autant qu'elle ne peut s'empêcher de penser qu'à cette heure, elle aurait dû être en train d'écouter son groupe préféré à New York. Elle a le cœur gros. Barbie le sent, elle connaît sa sœur cadette comme personne. Lui vient alors une idée…

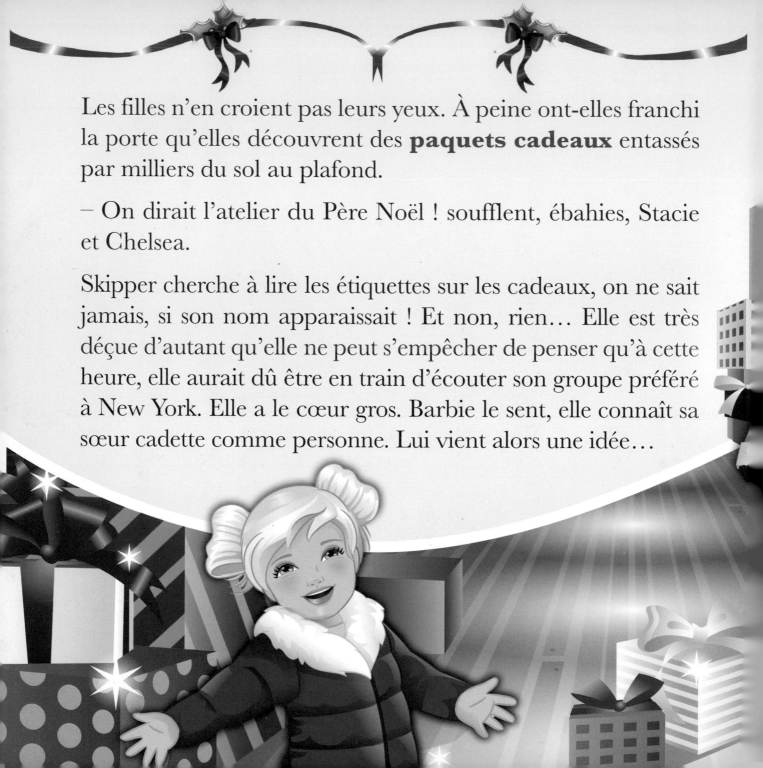

Et si Skipper faisait son propre **concert de Noël** ? Après tout, elle a une superbe voix, Barbie l'a déjà surprise en pleines vocalises. En plus, en visitant l'hôtel, elle a repéré une grande salle de spectacle qu'elle s'empresse de montrer à ses sœurs.

– Ton idée est géniale, Barbie ! Merci, murmure Skipper, émue, à qui il n'a pas fallu beaucoup de temps pour se laisser convaincre.

– On s'y voit déjà ! s'extasient Stacie et Chelsea.

De retour dans le hall, les quatre sœurs exposent leur projet à Chrissie qui applaudit. Puis elles préparent des cartons d'invitation et les distribuent à tous les clients.

Venez passer

Un merveilleux Noël

Au concert de Barbie, Skipper, Stacie et Chelsea !

Vite ! Il reste aux filles à se vêtir de leurs robes de fête et à s'échauffer la voix. Et moins d'une heure plus tard, le concert démarre sous les ovations du public.

Il est minuit ! Les filles sont épuisées mais ravies. Elles ont passé un **merveilleux Noël**. Skipper se dit que c'est finalement encore plus excitant d'être sur scène que dans la salle. Demain matin, elles se retrouveront au pied du sapin pour déballer leurs cadeaux. Mais chut ! Elles se sont promis de ne jamais révéler qu'elles avaient découvert l'atelier du Père Noël…